U0136756

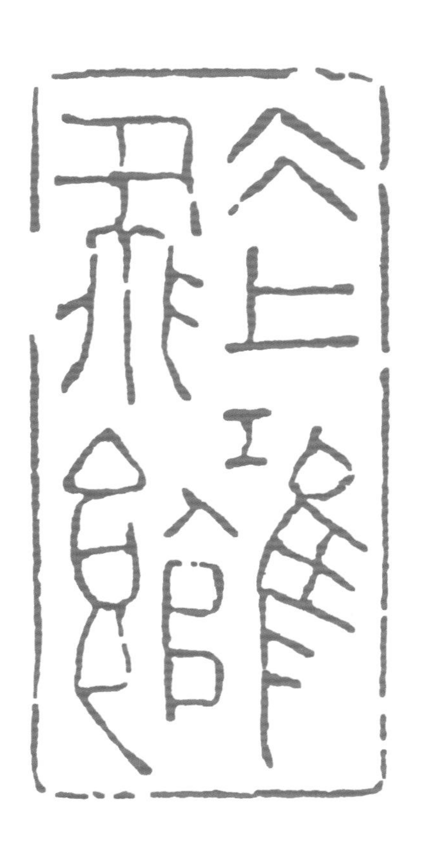

黃賓虹全集

《黃賓虹全集》編輯委員會編

5

山水冊頁

山東美術出版社・浙江人民美術出版社

主　編　分卷主編·王伯敏

目次

導語·虛靜致遠　1
山水册頁圖版　1

導語·虛静致遠

詩文書畫，同源异流，溯古哲之精神，抒一己之懷抱，即人生一大樂事。

——黄賓虹致黄居素信

黄賓虹晚年在一則題畫款中寫道：『中邦繪畫，萌芽于文字，極盛于詩歌。』以毋庸置疑的語氣重申了中國畫與漢文字的血緣關聯。而其風流藴藉、蔚爲大觀則緣于詩歌的滋養。書、詩與畫的關係及意義攸關如此。

回顧歷史，文學與繪畫，在晋末南朝初，有一個極有意思的交彙點：山水詩與山水畫。謝靈運、謝朓等以吟咏山水風物而有『山水詩人』之桂冠。即使今天來讀他們的詩句如『野曠沙岸净，天高秋月明』，『餘霞散成綺，澄江静如練』，所寫天光雲影之色、逶迤曲折之景，一一如在眼前，非但語詞優美隽永，更令人生悠遠遐思。在二謝前後，就有顧愷之畫《雲臺山》、陸探微作《春岫歸雲圖》等，是爲山水畫的發端。雖墨迹不存，但寄情山水、與化同游却是山水畫與山水詩共同的美學主旨。在黄賓虹的論述中，『上古三代，魏晋六朝，有法而不言法，是爲内美』，當指古代哲學中道法自然、天人合一即人與自然關係的思想。此爲山水畫與山水詩所共有，因而可互通款曲。其實，詩與畫的歷史，就是互爲生發的歷史。唐代大詩人王維自謂『夙世謬詞客，前身是畫師』，似乎更願意肯定自己是『畫師』。他所嘗試的水墨渲染，與他幽淡蕭散之詩意同一境界，或正是幽淡蕭散之詩情催生了水墨渲染之畫法。也正是王維開水墨諸法，開中國畫『雅逸』一格，也打開了畫史發展的多種可能性。黄賓虹所謂的畫史『極盛于詩歌』，所指大約在此。

反之，詩思孱弱，情趣寡淡，必拖累畫風畫境流于萎靡。黄賓虹認爲清代畫壇不振的原因之一，就有『婁東、虞山，畫無詩詞』，是謂四王餘脉局執于成法而輕忽了將詩情入于畫意乃見生命意味這一藝術真諦。而『揚州八怪，書法詩文俱有可睹，畫無古法』，則因『少見古人真迹』未得古法精髓而缺失了典雅、深邃之旨。由此來看，黄賓虹何以如此推崇明末『啓禎諸賢』，首先是這些『士夫、學人』的有思想，是社會中流砥柱。還有一個重要原因，即他們往往是甚有造詣的詩人，如李流芳、程嘉燧、龔賢等。又如漸江、戴本孝、鄭旼，雖畫名更高，詩則一如性情，高標自立，特立獨行。讀他們的詩文，望之彌高，尤覺人、詩、畫密不可分。再看黄賓虹的『啓禎諸賢』説，誠非虛言，有深意在焉。

已知黄賓虹所遺存的作品在萬數以上，大部分是立軸，也有相當數量是册頁類或小品。黄賓虹的秘訣是『丘壑内營』，即使是立軸，縱然寫壁立千仞，大部分也不是高堂大軸。或許是因爲一輩子精研古璽印，深知如何在小空間裏營造大氣象，所以，不僅尺幅不大的立軸，即使是一腕之内的册頁，也能寫開合宏闊的高山大川，故常有人將印刷品裏的册頁誤認爲是立軸大畫。當然，册頁類的經營畢竟與立軸大作不同，有着自己的特徵和規律，我們也可以之作爲一個側面來辨析、證明黄賓虹畫風的各個進程。

第一，與立軸相比，尤其早年的册頁，更多見基本圖式的反復或多方的模寫，這是爲創作大作品作研習和準備。第二，記録游歷觀景時之所見及所感，比如有幾種黄山小景，寫奇妙景致且筆墨、設色已非常精美，與水墨寫生相似但應高于一般寫生稿。第三，是思考畫史、畫理的片斷記録。如題有『古人畫境，至高妙處無有差别』；『秦漢印，法度中具韵趣，故凡事皆可類推』；『澄懷觀化，須于静處求之，不以繁簡論也』。觀者咀嚼再三，每有豁然開朗之快意。第四，則是在小幅上有意識地强化或探索某種技法的運用，如專以渴筆焦墨法的所謂『渴筆山水册』，專以墨瀋漬化的『水墨山水册』等，可作爲我們解析黄賓虹畫法的範例。

觀者流連于黄賓虹的册頁小品，每被其中的詩情扣動心弦。或許，作小幅時的創作意識較爲内斂而散淡，優美、雅静、詩意便成了册頁小品的基調。黄賓虹最欽佩的明末畫家惲向認爲凡好畫『展卷便可令人作妙詩』，『無論尺幅大小，皆有一意，故論詩者以意逆（揣測意）志，而看畫者以意尋意。古今格法，思乃過半』，這是强調畫與詩『以意尋意』遂能新意生發的關係。石濤則有進一步的説法：『詩與畫，性情中來者也，真識相觸，如鏡寫影，今人不免唐突詩畫矣。』豈止是石濤所擔憂的今人，這或許是歷來的難題。黄賓虹不滿四王之無詩以及八怪的無古法，皆因其未能真正從『性情中來』，或未得窺『真識相觸』奥義之故。

黄賓虹一九三三年蜀游歸來，着手做的是選紀游詩六十六首，手書一册，石印分贈友好。次年，木刻紀游寫生册頁四十幅，印行《濱虹紀游畫册》。序文云：『所製不似今人，亦非墨守新安者。』這年黄賓虹七十歲，自信已能超脱前人成法，也超脱時人眼界。更令他興奮的，當是詩與畫中已見『真識相觸』之境。一九五五年黄賓虹過世後，老友陳叔通輯《賓虹詩草》收入其詩二百餘首，當年的南社同仁潘飛聲爲序曰：『賓虹山水，畫參唐宋，馳縱百家，詩名幾爲所掩，顧山人未至滬瀆，讀書山中，已品藻二謝，追踪四靈，成一家矣。』其後，有趙志鈞繼續搜輯積至九百三十餘首。黄賓虹詩作，除早年在南社與諸詩友以詩章慷慨『俯仰興亡事』外，大體可分兩類：一是論畫詩，是其畫學思想結晶，真知灼見，明快暢達，也多見題于畫首；再就是山水詩，有明確爲紀游而作，更多則是『品藻二謝，追踪四靈』，仍不出六朝以來的山水詩吟傳統。在吟吟哦哦間，將一己心胸、滿腹思緒融進松風流水、雲泉深處……黄賓虹畫風的成熟過程，也是哲思與詩情并進的行程。

今天回頭看黄賓虹，我們才更明白他是現代山水畫史上的標志性人物，因爲在他的繪畫裏已經有了迥异于古人的現代元素。我們知道，黄賓虹青年時曾是壯懷激烈的社會變革參與者。他一生中，家道中落，落寞歸里，江淮飄零，前路茫茫，十年裏理農事却被族人誤解甚至誹謗。還有南社同仁内訌，所藏古璽被盗，貴池置業毁于洪澇等等。然一生所遇喧囂與煩惱，終究未能阻礙黄賓虹前行。他有一首短詩，正是在人生坎坷路上行走的一個扼要記録：『歲月勞奔馳，圖畫入平野。讀書凉雨餘，閑境我心寫。』

行行走走，山山水水，在雨後的青翠和黄昏的暮靄裏作詩作畫，便有了那些單純、内斂、雅致的山水册頁，這正是『閑境心寫』所得。我們在這裏看到的，是黄賓虹向着『大家畫者』行進過程中一些真實、具體而優美的細節。

一九二三年，黃賓虹在《畫史馨香録》中説到東晋畫家宗炳『澄懷觀道，卧以游之』，并『謂人曰：撫琴動操，欲令衆山皆響』的故事。讓黃賓虹深爲感慨的，是『以琴之聲，合畫之趣，心目交怡，斯爲獨創』。我們今天來看，黃賓虹那些不着一字的山水小品，大都意在閑雅、冲淡和悠遠，亦如無標題樂曲，或在一個并不複雜的旋律之下演繹着一種高潮或一種純粹。今有學者研究，古詩中空間變幻的描寫，與古畫『不科學』的空間鋪陳有着内在的同一。詩、畫與音樂這種『不科學』的共性，就是自由，也正是黃賓虹所夢想的『栩栩而飛』。

尋繹黃賓虹的畫中詩思及詩中畫意，我們便有機會隨其後一起去遐想，一起感懷雲水烟霞和朗月清風。將詩情與畫意會通于自然山水間，是一件何等奇妙而優雅的事！『中邦繪畫，萌芽于文字，極盛于詩歌』。黃賓虹殷殷期望的是，繼續葆有中華民族這種詩化的情懷和極目八荒的想像力。

山水册頁圖版

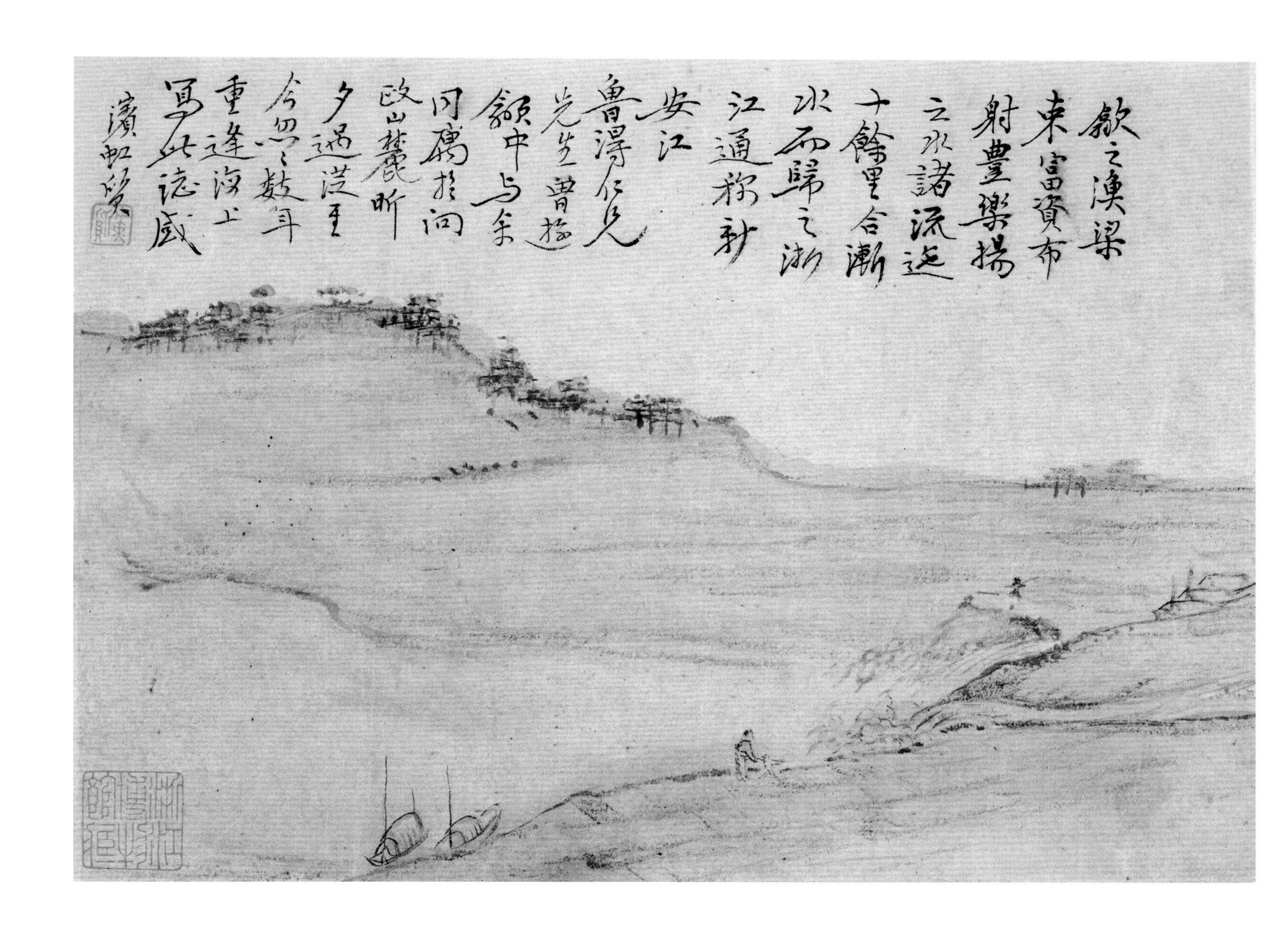

漁梁圖 紙本

縱一五·三厘米 橫二一·三厘米

浙江省博物館藏

題識：歙之漁梁 東富資布射豐樂揚之水諸流迤十餘里 合漸水而歸之浙江通稱新安江 魯得仁兄先生曾游歙中與余同寓于問政山麓 昕夕過從至今忽忽數年 重逢海上 寫此志感 濱虹質

鈐印：黃質

擬古山水　六幅

紙本

縱一七厘米　橫一七·五厘米

浙江省博物館藏

之一

題識：意在十三峰草堂　非求工

于貌似也

鈐印：臣質印

之二

題識：運筆沉着　似金陵八家中柴丈人大意

鈐印：臣質印

之三 題識：擬白石翁意 而逸致勝之 鈐印：臣質印

之四 題識：雨餘空翠轉霏霏 杜若洲邊小艇歸 久爲故人臨野閣 江雲入暮濕秋衣 趙松雪詩

鈐印：臣質印

之五　題識：石師筆意每多類此　後吴子野常喜爲之　鈐印：臣質印

之六　題識：松圓老人以詩名海内　其畫意秀逸圓勁　爲開新安四家之祖　而淹潤之致時復過之　黄質

鈐印：臣質印

山水 四幅

紙本

縱二六·二厘米

橫一九·五厘米

浙江省博物館藏

之一

之二

之三

之四

山水 十幅 紙本 縱二七厘米 橫三四厘米 浙江省博物館藏

之一 鈐印：黄賓虹

之二一　鈐印：黄賓虹

之三　鈐印：黄賓虹　之四

之五　之六　鈐印：黄賓虹

之七　鈐印：黄賓虹　之八　鈐印：黄賓虹

之九　鈐印：黃賓虹　之十　鈐印：黃賓虹

勾漏山水　八幅

紙本

縱五六厘米

橫四五厘米

一九三五年作

上海市美術家協會藏

之一　屏扆巒光

題識：

屏扆巒光一嶺通

山花籬落綴腥紅

遥知庭院藏深樹

合住高人陳孟公

蘿村訪杜尊先生

約游勾漏諸勝

寫似哂正

乙亥　黄賓虹

鈐印：黄賓虹

之二　暗螺山

題識：

筭輿平坂度層岑

澗路重重入杳冥

十萬峪山回望處

峰尖雲外豁遥青

暗螺山　賓虹

鈐印：黃賓虹

之三　斗口河

題識：

泉涌雲根一甕初

奔騰深谷瀉清渠

只緣砥礪攢沙石

碾出寒光玉不如

斗口河　賓虹

鈐印：黃賓虹

之四　獨山湖

題識：

奇峰兀兀水生波
蕩漾湖光浸黛螺
剛是片雲收雨後
一奩清影鏡新磨
獨山湖　賓虹

鈐印：黃賓虹

之五 指月樓

題識：

丹荔紅蕉絢夏炎

夜涼深坐月纖纖

高樓瀉水榼書古

時有清芬入畫簾

指月樓 賓虹

鈐印：黄賓虹

之六　鳳凰嶺

題識：

山川麗景紀南郊

水石韶音竹樹交

却爲仙都勾漏近

丹山先引鳳含苞

鳳凰嶺　賓虹

鈐印：黄賓虹

之七 木蘭陂

題識：

松篁匝徑緑陰稠

影入澄潭暑漸收

曾記木蘭陂上立

小橋飛瀑倍清幽

木蘭陂 賓虹

鈐印：黄賓虹

之八　大風門

題識：

邕寧東下倦征輪

未滌元規障面塵

南服況當蒸溽暑

欣看噫氣起青蘋

大風門　賓虹

鈐印：黃賓虹

山水 兩幅 紙本 縱二九·五厘米 横二〇·五厘米 私人藏

之一 鈐印：黄賓虹

之二　鈐印：黄賓虹

山水册 四幅 紙本 縱一七·五厘米 橫二三·五厘米 浙江省博物館藏

之一 鈐印：賓虹之鉨 之二 鈐印：賓虹之鉨

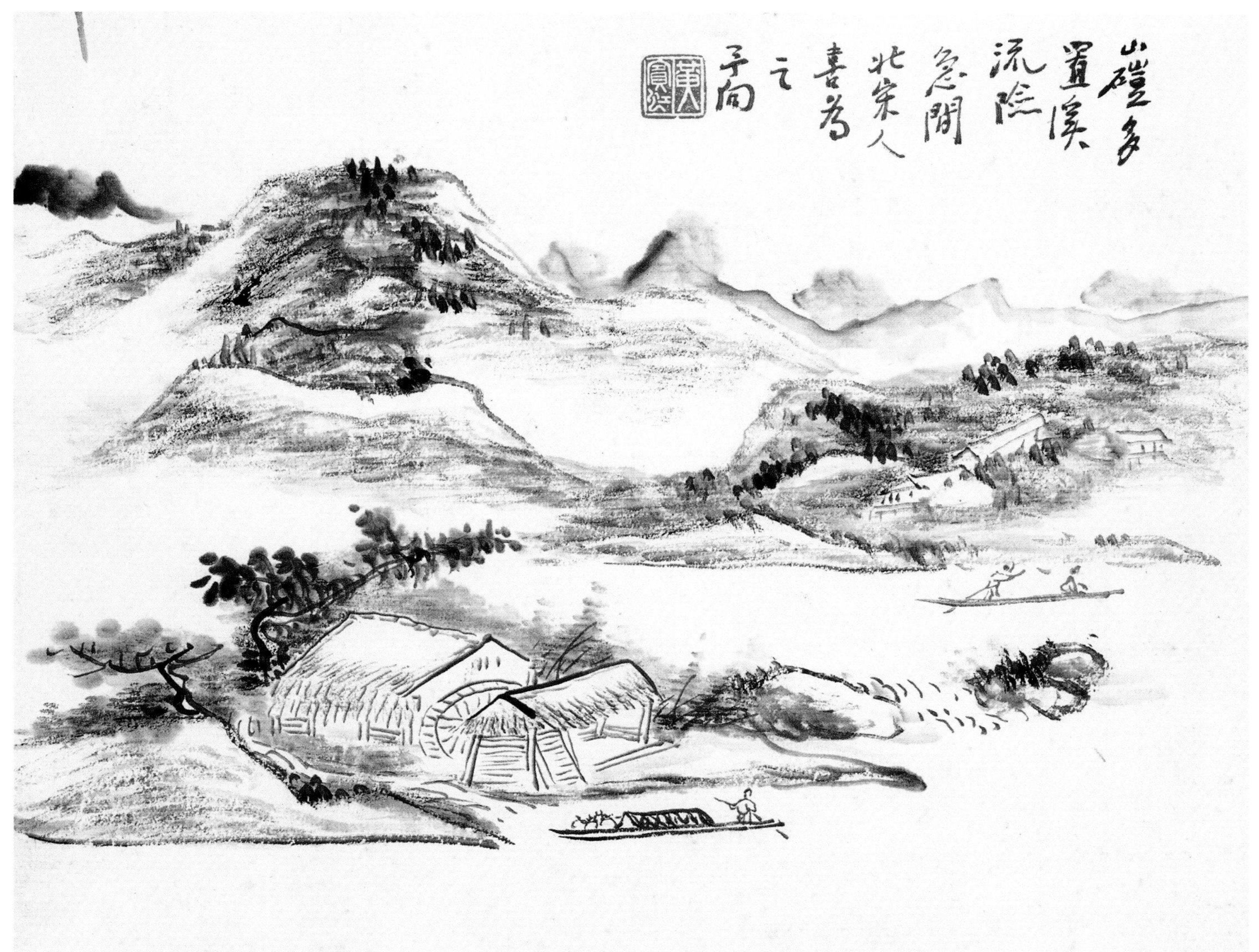

之三　鈐印：賓虹之鉨

之四　題識：山礓多置溪流險急間　北宋人喜爲之　予向

鈐印：黃賓虹

蜀中山水　兩幅　紙本　縱二三厘米　橫二六厘米　私人藏

之一　明妃村

題識：輕藝椒蘭識重文　黃金揮霍賦長門　馬卿若比毛延壽

終古明妃尚有村　明妃村　鈐印：賓鴻

之二 龍門峽

題識：潑龍潭空匹練飛 憑欄茗碗坐忘歸 林岩寂静雲圍合 一徑通樵穿翠微 龍門峽 鈐印：賓鴻

陽朔山水　四幅　紙本　縱一五·五厘米　橫二六厘米　一九四三年作　私人藏
之一　鈐印：黃賓虹

之二一　鈐印：黄賓虹

之三　鈐印：黄賓虹

之四　題識：陽朔山水　范石湖以爲甲天下　余留旬日圖之

鈐印：黄賓虹

雁蕩紀游 八幅 紙本 縱二〇厘米 横三七厘米 香港緣山堂藏

之一 落雲峰 題識：落雲峰在斤竹澗上 賓虹 鈐印：黄賓虹

之二　天柱峰

題識：天柱峰萬丈圓峰壁立　爲靈岩諸勝第一　雁蕩紀游　賓虹

鈐印：黃賓虹

之三　下培潭

題識：斤竹澗有下培潭

一名初月　在峽門東　賓虹紀游

鈐印：黃賓虹

斤竹澗有下培澤一名初月在峡門東
賓虹紀游

之四　寶冠峰

題識：寶冠峰北　西石梁外

宋延平四年建寺　賓虹紀游

鈐印：黃賓虹

之五　雙髻峰

題識：雙髻峰山北舊有太白

書院　左側轉入小谷　賓虹

鈐印：黃賓虹

之六　九折溪

題識：九折溪一名石溪　雁山北合水從東北諸谷出　東流與大龍灘合　賓虹散人

鈐印：黄賓虹

之七　雁湖

題識：雁湖之水　南自石門凌雲之梅雨　或寶冠之飛瀑　北則蕩陰諸水也　庚辰秋日　黄賓虹

鈐印：黄賓虹

之八　峽門潭

題識：

峽門潭在斤竹澗

經行峽下

高絕泉涌　深潭如鏡

賓虹游迹

鈐印：黃賓虹

山水 四幅 紙本
縱二二·二厘米 橫二二厘米
浙江省博物館藏
之一 鈐印：黄賓虹

之二
鈐印：黄賓虹

之三　鈐印：黄賓虹

之四　鈐印：黄賓虹

西海門　紙本
縱二三厘米　橫三八厘米
私人藏
題識：西海門
鈐印：虹若　黄質

山水 紙本

縱二三·二厘米 横二五·九厘米

浙江省博物館藏

題識：砿叟 鈐印：虹廬

山水 兩幅 紙本 縱二九厘米 橫一九·四厘米 西泠印社藏
之一 題識：湖鄉詩思 鈐印：黃賓虹

之二　題識：石塢藏雲　鈐印：黃賓虹

山水 七幅 紙本 縱二八·五厘米 橫三九·五厘米 浙江省博物館藏

之一 鈐印：予向

之二 鈐印：予向 之三

之四　鈐印：予向　之五　鈐印：冰鴻

之六　鈐印：冰鴻

之七　钤印：予向

山水

紙本　縱二七·五厘米　橫三七厘米　浙江省博物館藏

山靄籠嘉樹　紙本　縱二七·五厘米　橫四一厘米　浙江省博物館藏

題識：山靄籠嘉樹　層岩瀉野泉　高人于此住　所得靜中緣

山水 紙本 縱四〇·三厘米 橫二二·八厘米 浙江省博物館藏

鈐印：黄賓虹

山水 紙本 縱三四厘米 橫二三厘米 浙江省博物館藏

山水　紙本
縱二八厘米　橫二三厘米
浙江省博物館藏

散花塢 紙本

縱三〇厘米 橫二六厘米

浙江省博物館藏

題識：散花塢花發如錦 高與石平

奇峰錯出 極其絢爛

山水　紙本

縱二七厘米

橫二一厘米

浙江省博物館藏

松谷道中 紙本

縱四四·五厘米

横二三·五厘米

西泠印社藏

題識：松谷道中

有横石大可數畝

飛瀑自對岸石壁

從空而下 高百丈

奇觀也 賓虹

鈐印：黄賓虹

山水 三幅 紙本 縱二二厘米 橫三三·五厘米 香港緣山堂藏

之一 太湖三萬六千頃

題識：太湖三萬六千頃 奇峭廣博 收入囊中 偶寫其大略耳 矼叟

鈐印：黃賓虹

之二　新安江上

題識：新安江上　山水到處入畫　董巨二米薈萃一堂　矼叟

鈐印：黄賓虹

之三　江亭風帆

題識：馬遠畫只用巧　夏珪以拙勝之　此作家士習所由分耳　矼叟

鈐印：黃賓虹

山水 八幅
紙本
縱二四・八厘米
横一八・三厘米
浙江省博物館藏
之一
鈐印：黄賓虹

之二
題識：白華
鈐印：黄賓虹

之三

鈐印：黄賓虹

之四
題識：版書
鈐印：黄賓虹

之五

鈐印：黄賓虹

之六
鈐印：黄賓虹

之七

鈐印：黄賓虹

之八
鈐印：黄賓虹

陽朔畫山 紙本 縱一九·五厘米 橫三三·五厘米 香港緣山堂藏

題識：陽朔畫山江岸小憩 予向 鈐印：黃賓虹 賓虹八十以後作

山水 兩幅

紙本

縱三三厘米

橫二五厘米

香港緣山堂藏

之一 陽朔山中

題識：

陽朔山中 萬峰笋立

人行石縫 曲折盤旋

岩岫蒼翠 欲滴襟袖

賓虹

鈐印：黃賓虹

之二　富陽江上

題識：

層巒雨霽　富陽江上

舟行所見　賓虹

鈐印：黃賓虹

山水 五幅 紙本 縱二二·六厘米 橫二七厘米 浙江省博物館藏

之一 之二

之三　之四

之五

山水 兩幅 紙本
縱三五厘米 橫二八厘米
浙江省博物館藏
之一

之二

山水 兩幅
紙本
縱三六厘米
橫二六·五厘米
浙江省博物館藏
之一

之二

山水 紙本
縱三八厘米
横二五厘米
浙江省博物館藏
鈐印：黄賓虹

山水　紙本
縱四〇・五厘米
横三二厘米
浙江省博物館藏

巉岩俯瞰灘江

紙本

縱一七・三厘米

横一三・四厘米

私人藏

題識：

巉岩俯瞰灘江

賓虹泛舟其下

鈐印：黄賓虹

山水

紙本　縱二〇厘米　橫二五厘米　浙江省博物館藏

山水 兩幅
紙本
縱二七·五厘米 橫三八厘米
浙江省博物館藏
之一

之二

山水 八幅 紙本 縱二八·七厘米 横四一·二厘米 西泠印社藏

之一 鈐印：黄賓虹 之二 鈐印：黄賓虹

之三　鈐印：黄賓虹　之四　鈐印：黄賓虹

之五　鈐印：黄賓虹　之六　鈐印：黄賓虹

之七　鈐印：黄賓虹　之八　鈐印：黄賓虹

嘉州歸渡 紙本 縱二九厘米 橫四〇・七厘米 上海市美術家協會藏

題識：嘉州歸渡 賓虹 鈐印：黄賓虹

嘉州歸渡
賓虹

山水　四幅

紙本

縱四〇厘米

橫二八厘米

浙江省博物館藏

之一

之二

之三

之四

山水 四幅 紙本 縱二〇厘米 橫二五厘米 浙江省博物館藏 之一

之二

之三

之四

山水 八幅

紙本

縱三四厘米 橫三〇厘米

私人藏

之一 雨過雲猶濕

題識：

雨過雲猶濕 平橋水亂流

莫言風浪急 野岸有漁舟 賓虹

鈐印：黃賓虹

之二　湖山泊舟

題識：

前人論畫　其義皆與詩文相通

深入顯出　又須沉着痛快　董玄宰

謂唐畫刻劃　五代北宋六法始備

至高房山趙松雪　集其大成　賓虹

鈐印：黃賓虹

之三　山亭會友

題識：

沉着渾厚　北宋畫中大方家數

不徒以細謹爲工　賓虹

鈐印：黄賓虹

之四　湖山泊舟

題識：

惲道生論畫　言疏中密　密中疏　南田爲其從孫　亟稱之　又進而言密中密疏處疏　余觀二公真迹　尤喜其至密者能作至密　而後疏處得内美　于甌館香（甌香館）似遜一籌　賓虹

鈐印：黄賓虹

之五　山居

題識：賓虹　鈐印：黄賓虹

之六　江干卜築

題識：江干卜築　以梅道人筆意寫之賓虹　鈐印：黃賓虹

之七　水墨丹青合體

題識：

荆浩關仝取王摩詰二李之長　變爲水墨丹青合體　遂爲繪畫正宗　至清道□　近觀包安吴所作山水擬此　賓虹

鈐印：黄賓虹

之八　山水

題識：賓虹　鈐印：黄賓虹

清水灣 紙本 縱二二·八厘米 橫二三·三厘米 浙江省博物館藏

題識：清水灣海岸村居一角 鈐印：黄賓虹

山水　紙本
縱四一·五厘米
橫三〇厘米
浙江省博物館藏

山水　紙本
縱三三厘米
横二五厘米
浙江省博物館藏

山水 四幅 紙本 縱二三·六厘米 橫二九·六厘米 浙江省博物館藏

之一

之二

之三

之四

山水 兩幅
紙本
縱四一·五厘米
橫三四厘米
浙江省博物館藏
之一

之二

山水 十二幅 紙本 縱三九·五厘米 橫二八厘米 浙江省博物館藏 之一

之二

之三

之四

之五　之六

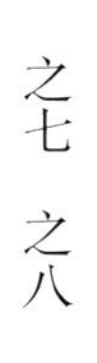

之七　之八

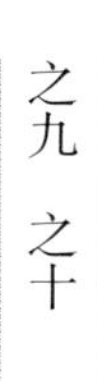

之九　之十

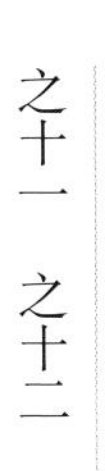

之十一　之十二

山水　六幅　紙本　縱三八厘米　橫二六厘米　浙江省博物館藏

之一　題識：靈岩　鈐印：黃賓虹

之二　鈐印：黄賓虹

之三　鈐印：黄賓虹

之四　鈐印：黄賓虹

之五　鈐印：黃賓虹

之六　題識：南橋　鈐印：黃賓虹

山水　兩幅
紙本
縱二〇·五厘米　橫三九厘米
私人藏
之一　鈐印：黃賓虹
之二　鈐印：黃山予向

蜀游山水 兩幅

紙本

縱二〇厘米 橫三三厘米

私人藏

之一 嘉陵江上

題識：嘉陵江上舟中所見
予向

鈐印：黃賓虹 賓虹八十以後作

之二 渠河舟中

題識：渠河舟中圖此 予向

鈐印：黃賓虹 賓虹八十以後作

渠河 紙本

縱三二厘米 橫三二厘米

私人藏

題識：渠河屬川北 在合川上游

風景最爲清美 賓虹

鈐印：黃賓公

柔溪河　紙本

縱三二厘米　橫三二厘米

私人藏

題識：柔溪河山水清麗　舟行恬風静浪中寫此　賓虹

鈐印：黃賓公

山水 兩幅 紙本 縱二〇厘米 橫三八·五厘米 一九四〇年作 香港緣山堂藏

之一 坡陀溪澗

題識：遂寧途次 坡陀溪澗之勝 見者不忍捨去 矼叟

鈐印：黄賓虹 庚辰

之二　蓬溪道中

題識：蓬溪道中林泉清絶　矼叟　鈐印：黄賓虹　庚辰

贈無染山水　六幅　紙本

縱二二·五厘米　橫二九厘米

一九四三年作　私人藏

之一　齊山秋浦之間

題識：

齊山秋浦之間　余嘗結廬其間

有湖田二頃　近將睽隔十年矣

癸未　賓虹　鈐印：黄冰鴻

無染道兄自秣陵貺予丹徒柳氏

復印書籍七種　爲賤辰八旬之志

心甚感之　因寫此册以答雅意

賓虹又題　鈐印：黄予向

之二　石淙

題識：

石淙在碎月灘上　灘以李青蓮詩得名

賓虹

鈐印：黄冰鴻

之三　畫山對岸

題識：陽朔畫山對岸　東下有此奇勝　賓虹

鈐印：黄冰鴻

陽朔畫山對岸東下
有此奇勝
賓虹

之四　望擲筆峰
題識：坐青城山望擲筆峰　賓虹
鈐印：黄冰鴻

之五　龍潭道中

題識：攝山之龍潭道中小景

曩居白門　嘗往游此　賓虹

鈐印：黃冰鴻

之六　嘉州望峨嵋

題識：嘉州望峨嵋　諸峰隱約雲表　賓虹

鈐印：黄冰鴻

寫應子和先生　紙本

縱二六・一厘米　橫三一・三厘米

一九四六年作　私人藏

題識：

前二十年　余游陽朔羅浮峨嵋青城楚越諸山

得草稿千餘紙　近蜷伏燕市　暇爲點染

用古人之法　不欲泥古　寫應子和先生屬粲

丙戌　賓虹年八十又三

鈐印：黄賓虹

山水 十三幅 紙本 縱二四厘米 橫三六厘米 一九四六年作 私人藏

之一 夜歸 鈐印：黄賓虹

之二　渠江小景

題識：川蜀渠江小景　砋叟

鈐印：黃賓虹

之三　湖山泊舟

題識：唐畫刻劃　宋畫獷悍　元人以沖澹生辣之筆出之兼取其長而捨其短　後世所不易到　矼叟

鈐印：黃賓虹

之四　陽朔畫山

題識：陽朔有畫山最勝　昔勾留旬日不忍去

今圖之　矼叟　鈐印：黃賓虹

之五　池陽湖上

題識：趙漚波畫有草草如不經意者　最稱合作　余以池陽湖上小景擬之　矼叟　鈐印：黄賓虹

之六　粵西山水

題識：粵西自昭平以上　峰巒峭削　不可仿佛

筆以追之　矼叟　鈐印：黃賓虹

之七　齊山秋浦

題識：齊山秋浦之間爲唐李太白訪李陽冰游賞所至

余曾築屋湖上　有田二頃　今未得歸　寫此寄感

矼叟　鈐印：黃賓虹

之八　峨嵋洗象池
題識：方方壺潑墨法　余游峨嵋至洗象池　風雨將起如此　矼叟
鈐印：黃賓虹

之九　山水　鈐印：黃賓虹

之十　江南風景

題識：江南風景　董巨而後　士習無不貌之　渾厚華滋

正非易至　砭叟　鈐印：黃賓虹

之十一　蜀游訪廣安

題識：蜀游訪廣安天池　信宿而還　賓虹

鈐印：黃賓虹

之十二 湖山泛舟 鈐印：黃賓虹

之十三　題記

釋文：

唐宋以前　廊廟山林人習文藝　無不曉畫　老莊告退

山水方滋　筆侔造化　尤爲高人逸士所重視　元明而後

知師今人古人　研求家法　率多臨摹之作　朝臣院體

優孟衣冠　董思翁言畫分南北二宗　擯斥馬夏

而以行萬里路讀萬卷書爲作畫之模楷　今吾兄生于南越

長游江海　近且北至遼瀋　將師造化　猶索拙筆

書此志之　丙戌　八十三叟　賓虹

鈐印：竹北移　黄山予向　黄賓虹

山水 紙本

縱三二厘米 橫三九·五厘米

一九四七年作

浙江省博物館藏

題識：

董華亭師北苑 一變吴門積習

李檀園張稚恭諸賢力追北宋法

兹略擬之 紹塘先生屬粲

丁亥 八十四叟 賓虹

鈐印：黄賓虹

甌江一角 紙本

縱二七厘米 橫三五厘米

一九四八年作

私人藏

題識：

伯敏學兄家雁蕩 余游東西内谷

數旬 得圖甚多 以瀑爲最勝

茲寫甌江一角

戊子 八十五叟 賓虹

鈐印：黄冰鴻 冰上鴻飛館

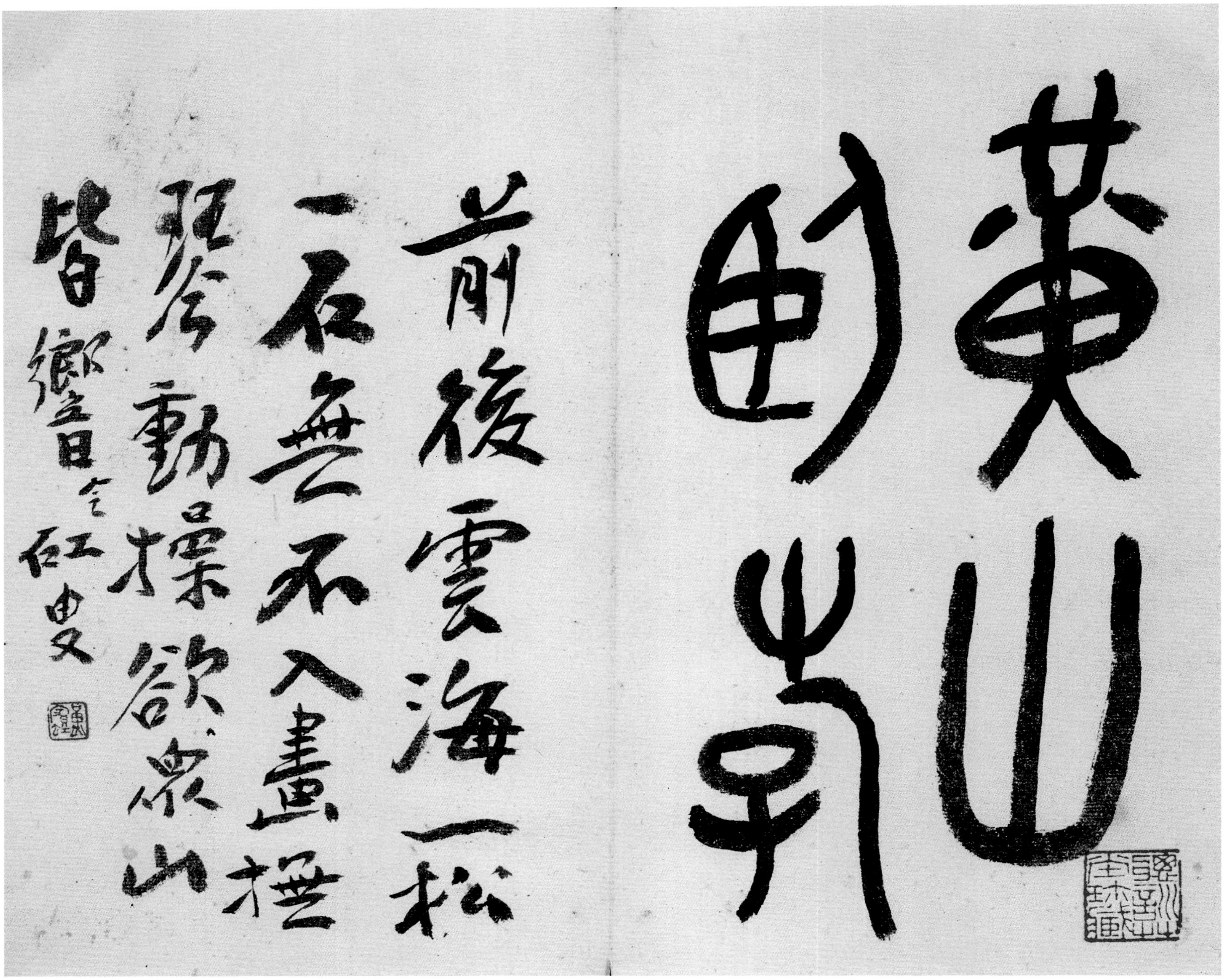

黄山卧游　十九幅

紙本

縱二二厘米　横二六厘米

一九四九年作

私人藏

之一

釋文：黄山卧游

前後雲海　一松一石　無不入畫

撫琴動操　欲令衆山皆響　矼叟

鈐印：黄賓虹

之二

題識：茅蓬有湯池

鈐印：黄賓虹

釋文：

浮出丹砂香 湛此綠玉色

因時冷暖殊 泉流生石壁

鈐印：黄賓虹印

之三

題識：青鸞峰

鈐印：黃賓虹

釋文：

細竹入山路　沿溪寒翠重

嵐光拂面來　拔地青芙蓉

鈐印：黃賓虹印

之四

題識：湯泉小補橋

鈐印：黃賓虹

釋文：

囂旦聞村鷄　出門擔輕裝

月色不映地　屐痕橋上霜

澗水嶺邊亭　窗□静聽琴

坐來微雨歇　林外數峰青

窗下落虛字

鈐印：黃賓虹

之五

題識：狎浪閣

鈐印：黄賓虹

釋文：

緑樹陰蔽虧　青峰列環堵

一枕卧溪樓　泉聲喧夜雨

鈐印：黄賓虹印

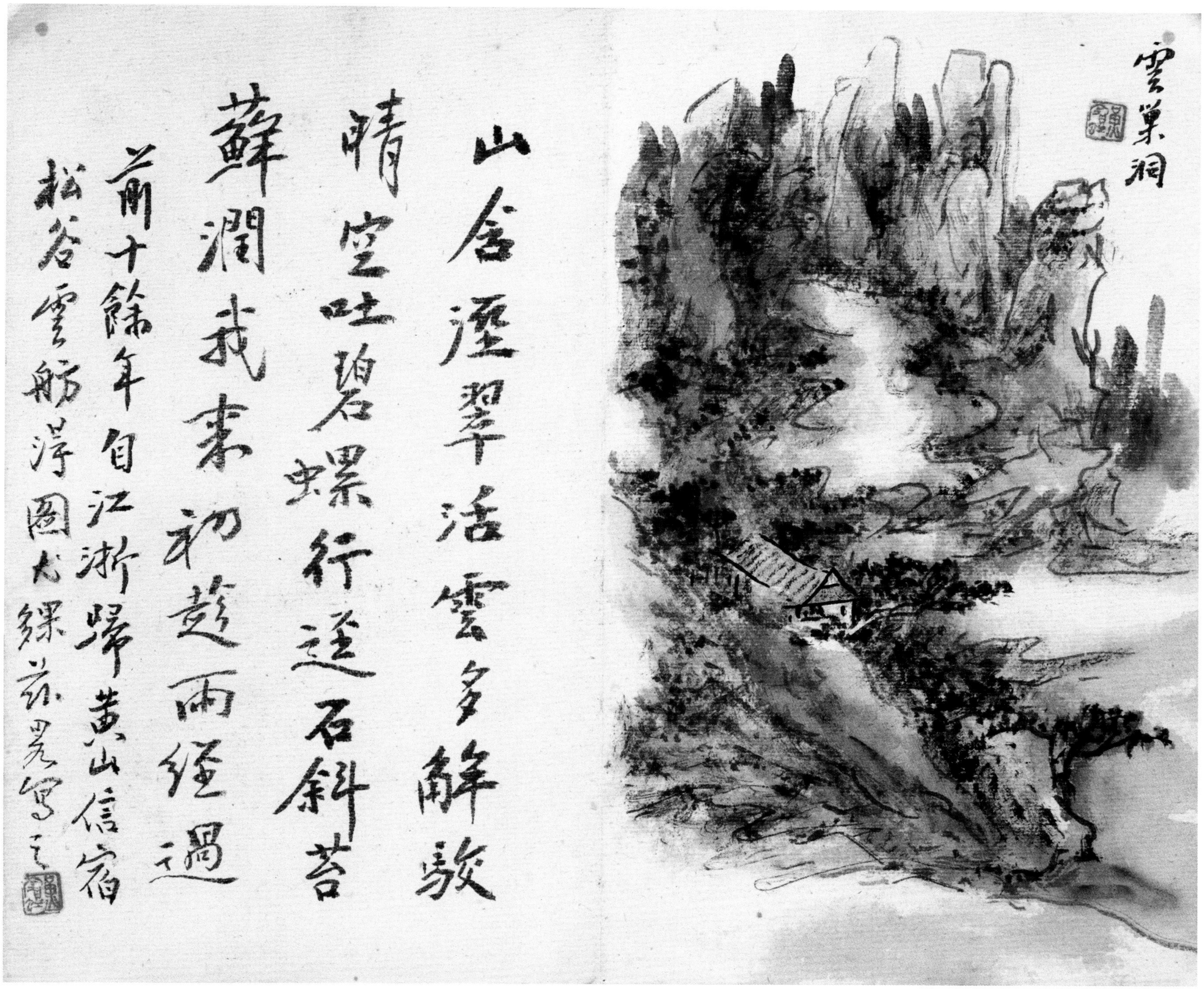

之六

題識：雲巢洞

鈐印：黃賓虹

釋文：

山含濕翠活雲多

解駁晴空吐碧螺

行徑石斜苔蘚潤

我來初趁雨經過

前十餘年

自江浙歸黃山

信宿松谷雲舫

得圖尤夥　茲略寫之

鈐印：黃賓虹

之七　題識：黃山豐樂水　自發源經行百里　至余村居　澄而爲潭　唐旌孝公由黃屯源渡河而北因名潭渡村　瀕溪舊有濱虹亭　最據勝　西望雲門雙峰　爲大幛山脉所從來　天都蓮花尤爲突起矼叟　鈐印：黃賓虹

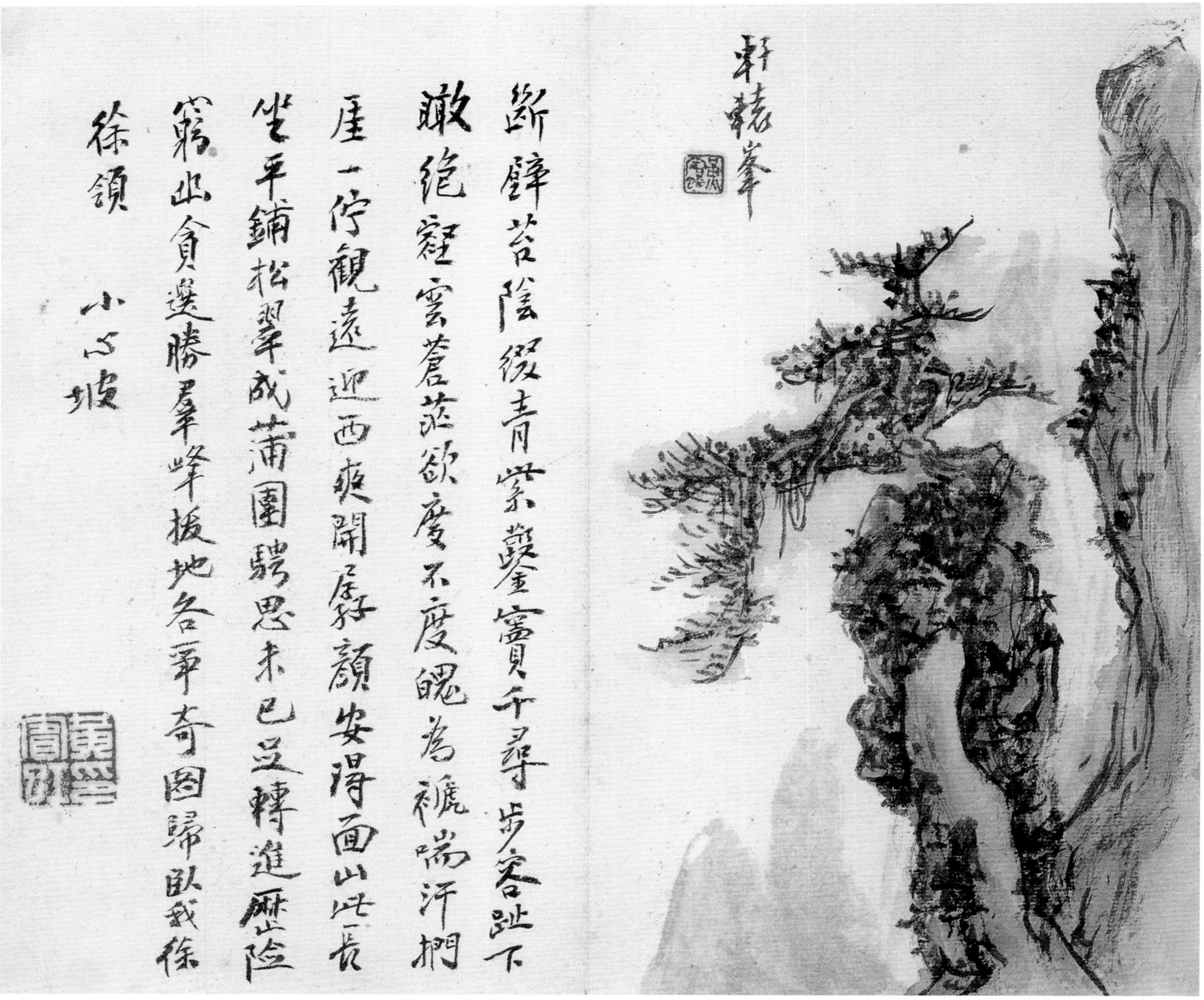

之八　題識：軒轅峰

鈐印：黃賓虹

釋文：

斷壁苔陰綴青紫　鑿竇千尋步容趾
下瞰絶壑雲蒼茫　欲度不度魄爲褫
喘汗捫崖一佇觀　遠迎西爽開孱顔
安得面山此長坐　平鋪松翠成蒲團
騁思未已足轉進　歷險窮幽貪選勝
群峰拔地各争奇　圖歸卧我徐徐領
小心坡

鈐印：黃賓虹印

之九　題識：慈光寺

鈐印：黄賓虹

釋文：

宫殿礫石餘　墻垣竹樹疏

窺户鳥争粒　扃門僧采蘇

鈐印：黄賓虹印

之十　題識：天都雲海

鈐印：黃賓虹

釋文：

山缺寸白雲　奔騰倏萬馬

衆壑浸成澥　雪浪月光下

鈐印：黃賓虹印

之十一　題識：龍松

鈐印：黃賓虹

釋文：

斷續緪懸路　傾攲沙滑坡

人窺飛鳥背　下界白雲多

過雨瀑争流　扶雲岩欲墮

絡石見深根　横截一松卧

鈐印：黃賓虹印

之十二

題識：一綫天

鈐印：黃賓虹

釋文：

此去天都近　靈奇恣討探

莫辭登陟苦　捷徑笑終南

鈐印：黃賓虹

之十三

題識：散花塢

鈐印：黃賓虹

釋文：

山勢插層雲　矯健鸞翻翼

吹簫人去遥　壁立玉千尺

鈐印：黃賓虹印

之十四

題識：松谷五龍潭

鈐印：黄賓虹

釋文：

嵌空石隙明　盤亘挂層級

年年洞口雲　永護蒼龍蟄

鈐印：黄賓虹印

之十五

題識：蓮花溝

鈐印：黄賓虹

釋文：

卓筆峰尖玉削成　飛泉迸作古琴鳴

寒生六月不知暑　盤過松陰石縫行

鈐印：黄賓虹印

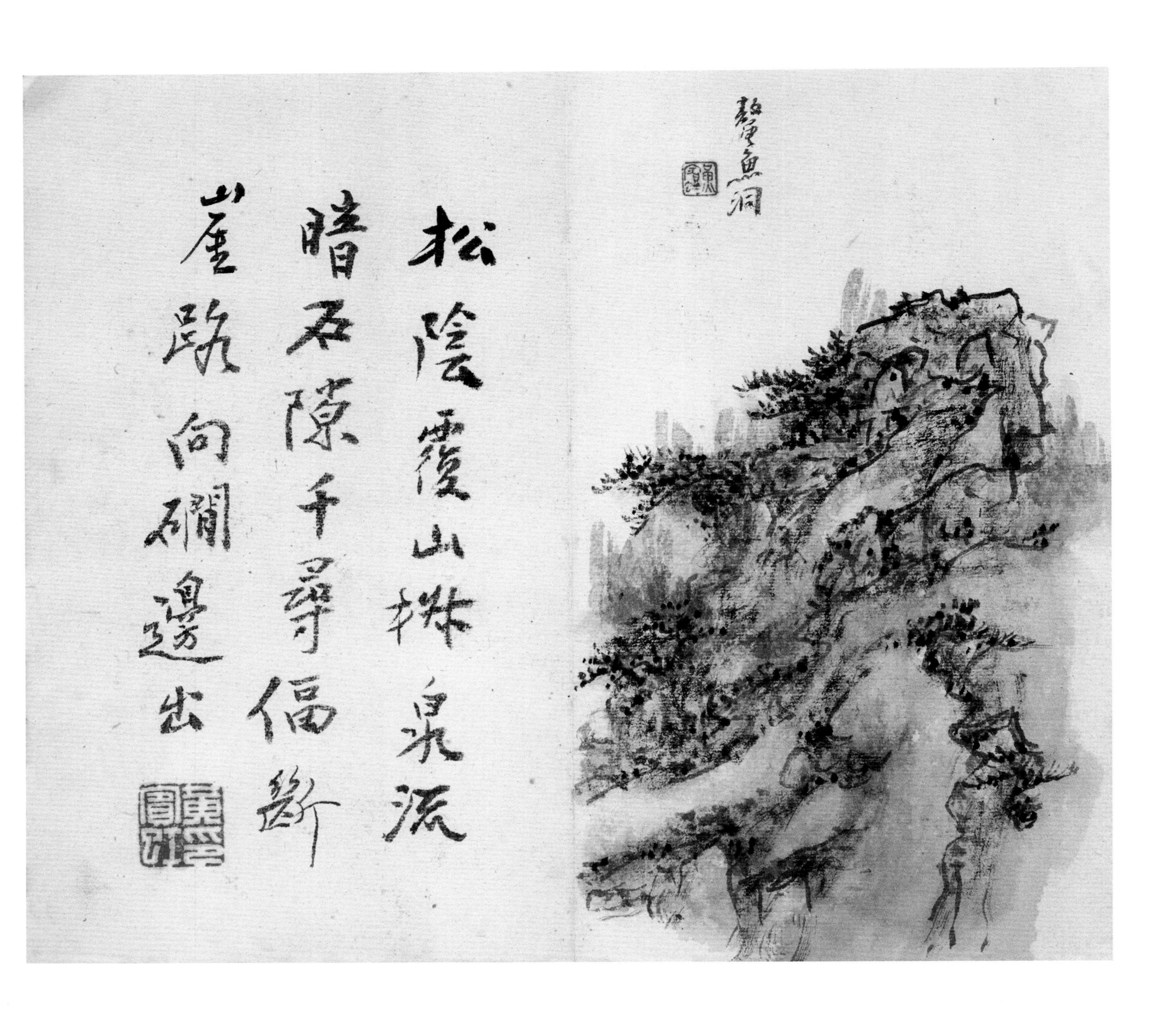

之十六

題識：鰲魚洞

鈐印：黃賓虹

釋文：

松陰覆山椒　泉流暗石隙

千尋逼斷崖　路向澗邊出

鈐印：黃賓虹印

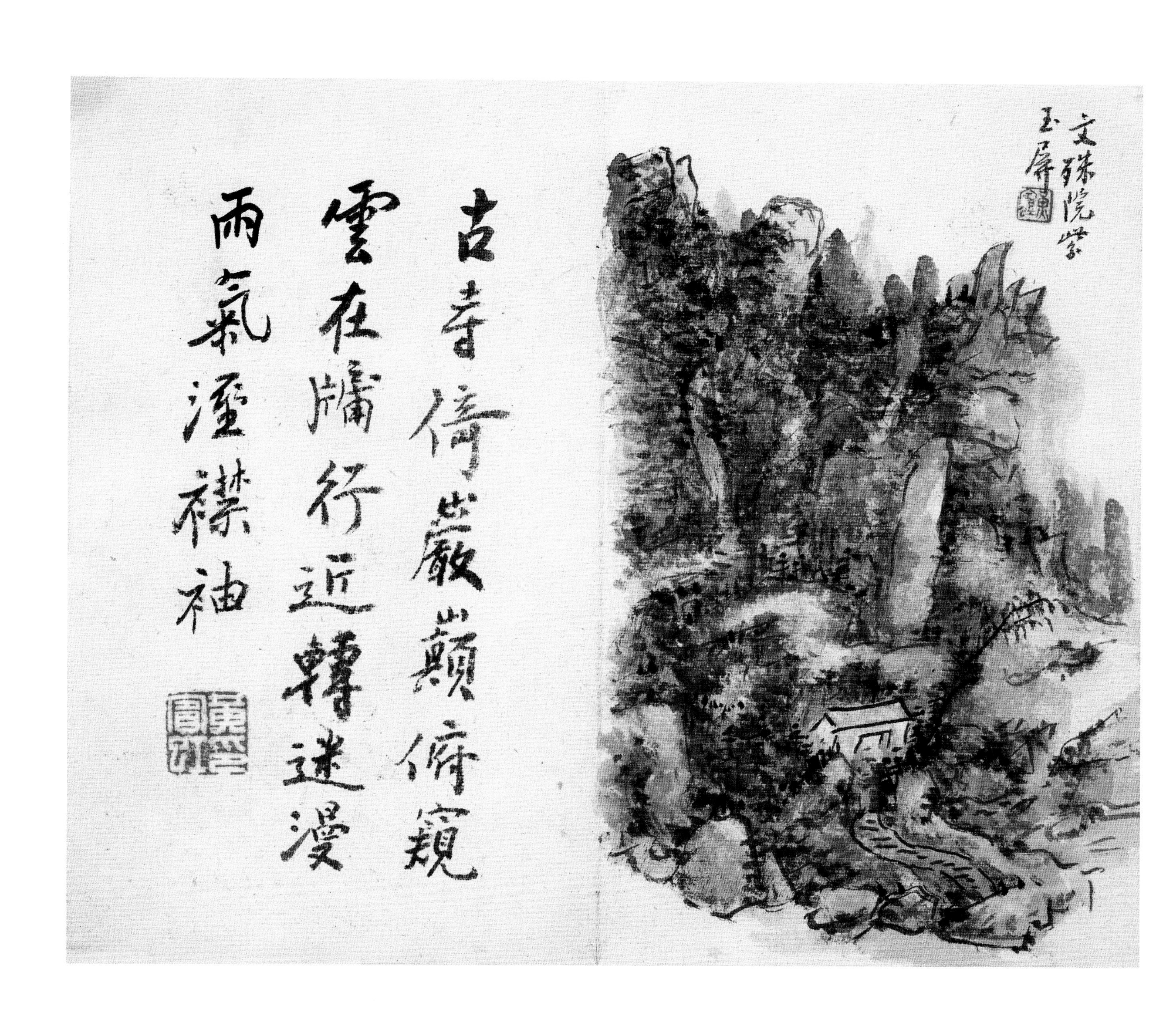

之十七

題識：文殊院紫玉屏

鈐印：黃賓虹

釋文：

古寺倚岩巔　俯窺雲在牖

行近轉迷漫　雨氣濕襟袖

鈐印：黃賓虹印

之十八　之十九

釋文：庚子三月余躡箬嶺　經譚家橋　將浮江至鳩玆　會有人自黃山來　遂偕行　度烏泥關　從雲舫入師林寺　登始信峰　觀散花塢　游前海之文殊院　下湯口因冒雨而旋　甲午而後歸耕歙東　墾兵荒田畝數千　計歲必至天都蓮花諸峰　嘗于秋霽　盡興探索丘壑雲烟之趣　收之囊中　孝文世講出素册索爲拙筆　昕夕點染　積數月而成此　爰録紀游詩以博雅粲　己丑　八十六叟賓虹

鈐印：黃賓虹印

山水

紙本　縱二七·五厘米　橫三四厘米　浙江省博物館藏

山水 四幅

紙本

縱四〇厘米 橫二八厘米

浙江省博物館藏

之一

之二

之三

之四

山川渾厚
艸木華滋
董巨正宗
千古不朽
八十六叟
賓虹

山川渾厚 紙本 縱三三・二厘米 橫三三・一厘米 上海博物館藏

題識：山川渾厚 草木華滋 董巨正宗 千古不朽 八十六叟 己丑 賓虹

鈐印：黃賓虹印

山水　八幅　紙本　縱一九·七厘米　橫一九·六厘米　浙江省博物館藏

之一　鈐印：黃賓虹　之二　鈐印：黃賓虹

之三　鈐印：黄賓虹　之四　鈐印：黄賓虹

之五　題識：狂飆逐飛雲　迅怒挾山去　我陟層崖巔　若乘鸞背翥　一霽萬里遥　下界已鋪絮

鈐印：黄賓虹

之六　題識：翠崖諸峰爲後海群奇所應　鈐印：黄賓虹

之七　鈐印：黄賓虹　之八　鈐印：黄賓虹

山水 兩幅 紙本 縱三三厘米 橫二二·五厘米 浙江省博物館藏

之一 題識：右軍正書如黃庭曹娥畫贊樂毅論 各有不同 如此似學書中畫贊者

之二　題識：生平最愛大痴晚年之筆　只是得心應手耳

黄山松 四幅

紙本

縱三三·二厘米 橫一八厘米

浙江省博物館藏

之一 之二

之三

之四

山水 兩幅

紙本

縱二〇・八厘米 橫一九・五厘米

浙江省博物館藏

之一 鈐印：黄賓虹

之二

鈐印：黄賓虹

山水 兩幅 紙本
縱三三厘米 橫二五厘米
浙江省博物館藏
之一

之二

山水 兩幅
紙本
縱三二厘米 橫二六·五厘米
浙江省博物館藏
之一

之二

山水 四幅

紙本

縱三二·五厘米 橫二六·五厘米

浙江省博物館藏

之一 鈐印：黄賓虹

之二　鈐印：黃賓虹

之三

鈐印：黄賓虹

之四

鈐印：黄賓虹

山水 十幅 紙本 縱三八厘米 橫二六厘米 浙江省博物館藏 之一

之二

之三　之四

之五　之六

之七

之八

之九

之十

山水 兩幅 紙本 縱三五·五厘米 橫二四·五厘米 浙江省博物館藏 之一

之二

山水 五幅

紙本

縱二七·五厘米

横四九厘米

浙江省博物館藏

之一

之二 之三

之四　之五

山水　四幅　紙本　縱三四·六厘米　橫二二厘米　浙江省博物館藏

之一　之二

之三　之四

山水 兩幅 紙本

縱三三·五厘米 橫二七·五厘米

浙江省博物館藏

之一

之二

之三

之四

之五

之六

之七

之八

之九

之十

山水 兩幅　紙本　縱三二·九厘米　橫二一·六厘米　浙江省博物館藏　之一

之二

山水 紙本 縱三二厘米 横二二厘米 浙江省博物館藏

山水 紙本 縱三三・五厘米 橫二〇・三厘米 浙江省博物館藏

鈐印：黄冰鴻

山水 十幅 紙本 縱三三·五厘米 橫二二·五厘米 浙江省博物館藏

之一 鈐印：虹廬 黄予向

之二　鈐印：黄冰鴻

之三　鈐印：黄冰鴻　黄山山中人

之四　鈐印：黄冰鴻

之五　鈐印：黄賓虹

之六　鈐印：賓虹

之七　鈐印：黄冰鴻

之八

之九　鈐印：賓虹

之十　鈐印：黃冰鴻　賓虹草堂

山水畫稿　兩幅　紙本　縱二八厘米 橫一五厘米　浙江省博物館藏

之一　題識：不妨山路險　取次入雲峰　院覆干霄竹　岩垂挂壁松

之二

題識：岳色當門見　泉聲落澗邊（行右四字：晴　雨灑田）　菑畬守經訓　力穡有豐年

之三　之四

之五　之六

奇石 四幅

紙本

縱二〇・三厘米

橫一六・七厘米

浙江省博物館藏

之一　之二

之三　之四

山水 四幅

紙本 縱二一厘米 橫一七·五厘米 榮寶齋藏

之一 鈐印：黄賓虹

之二 鈐印：黄賓虹

之三　鈐印：黄賓虹

之四　鈐印：黄賓虹

山水　兩幅　紙本　縱三一厘米　橫二一·五厘米　浙江省博物館藏　之一

之二

山水 兩幅
紙本
縱三一厘米
橫二三厘米
浙江省博物館藏
之一

之二

山水 四幅
紙本 縱二七·五厘米 橫二五厘米 浙江省博物館藏
之一

之二

之三

之四

山水 四幅

紙本 縱四五厘米 橫二六·五厘米 浙江省博物館藏

之一 之二

之三　之四

山水 十一幅
紙本
縱三七·五厘米
橫二七厘米
浙江省博物館藏
之一

之二

之三　之四
之五　之六

之七　之八

之九　之十

之十一

山水　紙本　縱四八厘米　橫三三厘米　浙江省博物館藏

山水

紙本　縱四三·五厘米　橫三〇·五厘米　浙江省博物館藏

山水

紙本　縱三四厘米　橫二二厘米　浙江省博物館藏

山水　紙本　縱二四厘米　橫二四·五厘米　浙江省博物館藏

山水 紙本 縱三四厘米 橫二四厘米 浙江省博物館藏

山水 紙本 縱二二·四厘米 橫三三·五厘米 浙江省博物館藏

題識：甌香館言 大痴富春山色 墨中有筆 渾厚華滋 全法北宋人畫 矼叟

鈐印：黄賓虹

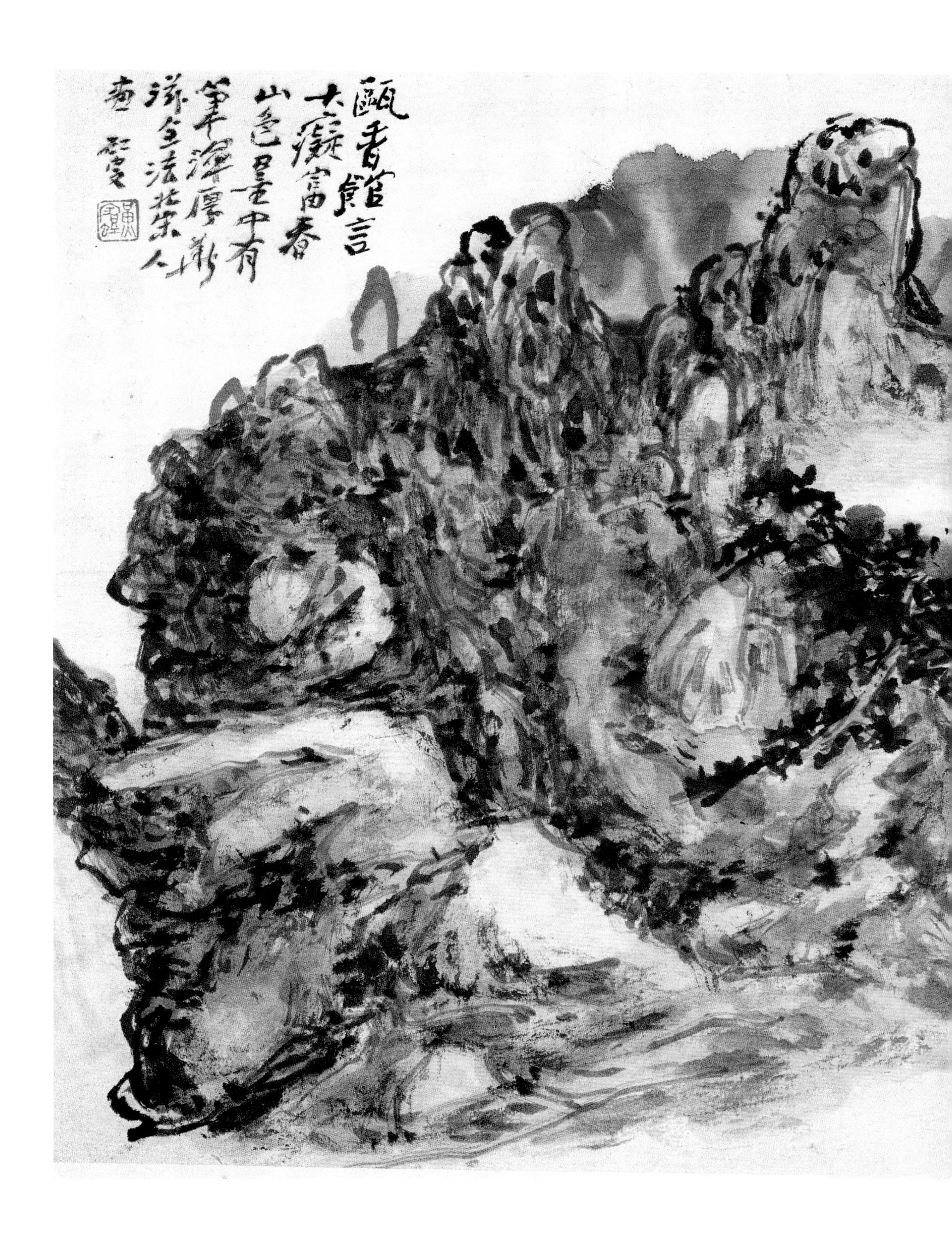

山水　三幅　紙本　縱二一・七厘米　橫三一・八厘米　浙江省博物館藏

之一　澄懷觀化

題識：澄懷觀化　須于靜處求之　不以繁簡論也　賓虹　鈐印：黄賓虹

之二　古人畫境

題識：古人畫境淵源不同　到微妙處無有差別　賓虹　鈐印：黃賓虹

雲谷寺曉望四山欲曙之景

之三　雲谷寺曉望

題識：雲谷寺曉望四山欲曙之景　矼叟　鈐印：黄賓虹

山水 紙本 縱四〇·五厘米 橫三〇厘米 浙江省博物館藏

溪山清秋 紙本

縱二二·四厘米 橫二八·四厘米

浙江省博物館藏

題識：筆墨攢簇 耐人尋味 若范華原 當勝董巨 晴窗擬此

似出前人臨摹之外 矼叟 鈐印：黄賓虹

山水　十四幅

紙本

縱二二·一厘米　橫二六·四厘米

浙江省博物館藏

之一　浮巒暖翠

題識：浮巒暖翠太繁　沙磧圖太簡　法大痴畫者多取秋山圖　此爲春山圖　余游新安江上　留戀光景嘗不欲去　矼叟　鈐印：黄賓虹

之二　松崖讀書

題識：用筆于極塞實處能見虛靈　多而不厭　令人想見慘淡經營之妙　矼叟　鈐印：黃賓虹

古人作畫用
心于無墨
處尤難學步
知白守黑
得其玄妙
未易言語
形容
虹叟

之三　泊舟看山

題識：古人作畫　用心于無筆墨處　尤難學步　知白守黑　得其玄妙　未易言語形容　矼叟

鈐印：黄賓虹

之四　富春江中
題識：龔柴丈言　學大痴畫者　以惲道生爲升堂　鄒初白爲入室　舟行富春江中　余嘗携其真迹證之　矼叟
鈐印：黃賓虹

之五　元氣淋漓

題識：元氣淋漓　筆須留得住紙　而墨無旁瀋　力透紙背是爲上乘　論者謂華新羅畫求脱太早以此　矼叟

鈐印：黄賓虹

之六　深山訪友

題識：乾裂秋風　潤含春雨　此梅沙彌得王洽潑墨真趣

大痴墨中筆　倪迂筆中墨　融洽分明　兼而有之

可言氣韵　矼叟

鈐印：黄賓虹

之七　坐參静趣

題識：宋代擅名江景有燕文貴江參　然燕喜點綴　失之細碎　江法雄秀　失之板刻　用長捨短　當有卓識　矼叟

鈐印：黄賓虹

之八　富春翠嵐

題識：大痴富春山卷全宗北苑　間以二米　一峰一狀　凡十數峰　樹木雄秀蒼鬱　變化極已　惲道生有摹本　得其大意　鄒衣白有拓本　唐半園又有油素本　丘壑位置可以勿失　領會神趣　先師造化耳　矼叟

鈐印：黄賓虹

之九　意遠在能静

題識：意遠在能静　境深尤貴曲　咫尺萬里遥　天游自絶俗　矼叟

鈐印：黄賓虹

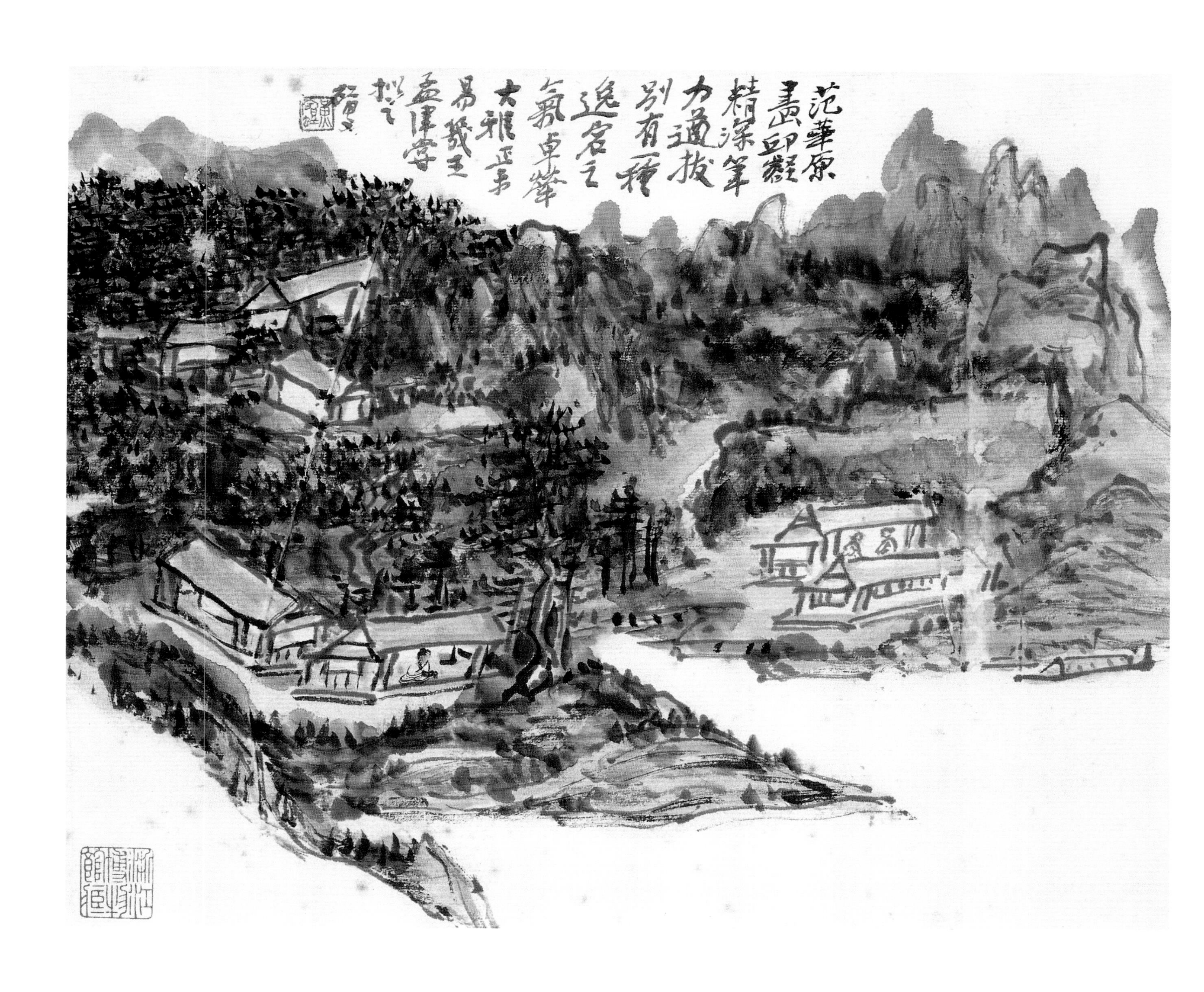

之十　丘壑精深

題識：范華原畫　丘壑精深　筆力遒拔　別有一種逸蕩之氣　卓犖大雅　正未易幾　王孟津嘗擬之　矼叟

鈐印：黄賓虹

之十一　暮山靜籟

題識：董香光專用渴筆　以極其縱橫使轉之力　何蝯叟言其但少雄直之氣　余得蝯叟爲李芋香父子所作畫　氣雄而不專于使氣　氣兼韵行　殊未易到　砶叟

鈐印：黄賓虹

之十二　霜林夕照

題識：霜林夕照　栖霞嶺上晚眺　得圖而歸　矼叟

鈐印：黃賓虹

之十三　幽淡天真

題識：沈石田師法元人　其學倪迂格格不入　明畫枯硬　而幽澹天真　終有不逮　矼叟

鈐印：黃賓虹

沈石田師法元人甚學倪迂格〻不入明畫枯硬而幽澹天真終有不逮
虹叟

之十四　靜渚憩漁

題識：巨然筆力雄厚　墨氣淋漓　梅花庵主一峰老人同時共學　兩家神趣雖殊　而各盡其妙　矼叟

鈐印：黃賓虹

策　　劃・姜衍波　奚天鷹　王經春
主　　編・王伯敏
執行副主編・王經春
副　主　編・王肇達　趙雁君
分卷主編・王伯敏
文字總監・梁　江
導　　語・駱堅群
責任編輯・田林海　王勝華　俞建華　王肇達
釋　　文・俞建華　王宏理
文字審校・俞建華
裝幀設計・毛德寶　俞佳迪　王肇達　田林海　王勝華
責任校對・黄　静
圖片攝影・葛立英　鄭向農

圖書在版編目（CIP）數據

黄賓虹全集.5，山水册頁/《黄賓虹全集》編輯委員會編.—濟南：山東美術出版社；杭州：浙江人民美術出版社，2006.12（2014.4重印）

ISBN 978-7-5330-2336-2

Ⅰ.黄… Ⅱ.黄… Ⅲ.山水畫-作品集-中國-現代 Ⅳ.J222.7

中國版本圖書館CIP數據核字（2007）第015684號

出品人：姜衍波　奚天鷹

出版發行：山東美術出版社

濟南市勝利大街三十九號（郵編：250001）

http://www.sdmspub.com

電話：（0531）82098268　傳真：（0531）82066185

山東美術出版社發行部

濟南市勝利大街三十九號（郵編：250001）

電話：（0531）86193019　86193028

浙江人民美術出版社

杭州市體育場路三四七號（郵編：310006）

http://mss.zjcb.com

電話：（0571）85176548

浙江人民美術出版社營銷部

杭州市體育場路三四七號十九樓（郵編：310006）

電話：（0571）85176089　傳真：（0571）85102160

製版印刷：深圳華新彩印製版有限公司

開本印張：787×1092毫米　八開　四十一印張

版　　次：二〇〇六年十二月第一版　二〇一四年四月第三次印刷

定　　價：柒佰捌拾圓